BAND 4

Anne Terzibaschitsch

Meine allerersten

# Tastenträume

## Klavierschule

**Anne Terzibaschitsch** wurde am 5. August 1955 in Essen geboren. Den ersten Klavierunterricht erhielt sie im Alter von fünf, Geigen- und Cellounterricht im Alter von zehn und zwölf Jahren.

Von 1975–1983 absolvierte sie ihr Klavierstudium an der Staatlichen Hochschule für Musik in Karlsruhe. Sie ist seit vielen Jahren freiberuflich als Pianistin und Klavierpädagogin tätig.

Im Rahmen ihrer pädagogischen Arbeit komponierte und arrangierte Anne Terzibaschitsch zahlreiche Stücke für Klavier. Diese sind in mehreren Bänden im Musikverlag Holzschuh erschienen.

**Impressum**



VHR 3403 / ISMN 979-0-2013-3403-5 / ISBN 978-3-940069-60-3

Umschlaggestaltung:
Werbeagentur Rauchbauer & Partner GmbH, Gaimersheim

Notensatz:
Regina Krauß, Speyer



www.holzschuh-verlag.de

# Inhaltsverzeichnis

# Die Klaviatur

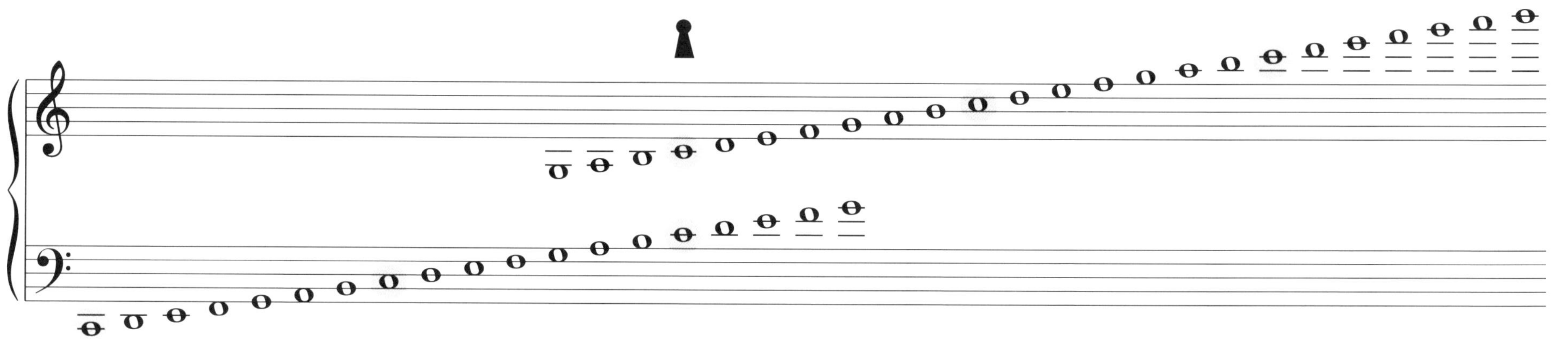

C D E F G A H c d e f g a h $c_1$ $d_1$ $e_1$ $f_1$ $g_1$ $a_1$ $h_1$ $c_2$ $d_2$ $e_2$ $f_2$ $g_2$ $a_2$ $h_2$ $c_3$ $d_3$ $e_3$ $f_3$ $g_3$ $a_3$ $h_3$

*große Oktave* *kleine Oktave* *eingestrichene Oktave* *zweigestrichene Oktave* *dreigestrichene Oktave*

# Lesekarten

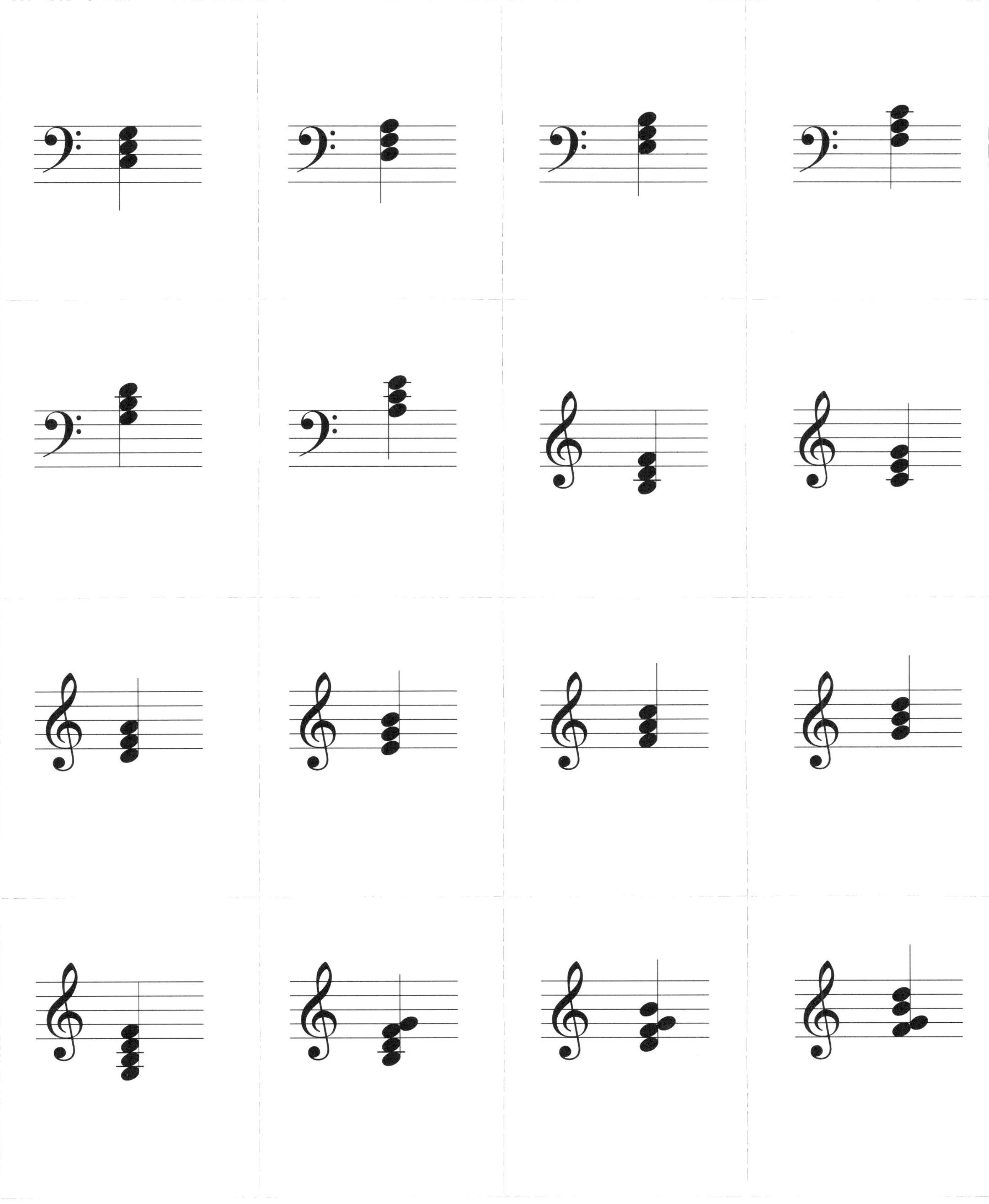

# Lösungen

| | | | |
|---|---|---|---|
| F-Dur Dreiklang | e-Moll Dreiklang | d-Moll Dreiklang | C-Dur Dreiklang |
| C-Dur Dreiklang | verminderter Dreiklang | a-Moll Dreiklang | G-Dur Dreiklang |
| G-Dur Dreiklang | F-Dur Dreiklang | e-Moll Dreiklang | d-Moll Dreiklang |
| Septakkord 3. Umkehrung | Septakkord 2. Umkehrung | Septakkord 1. Umkehrung | Septakkord Grundstellung |

# Prélude

aus dem *Te deum*

con forza = mit Kraft

M.-A. Charpentier
(um 1645–1704)*
Bearb.: A. T.

Das Wort *Prélude* kommt aus der französischen Sprache und bedeutet *Vorspiel*.

* Marc-Antoine Charpentier war ein französischer Komponist und Kapellmeister.

# Der Triller

In der Musik bedeutet ein *Triller* die Verzierung einer Note. Dabei wird die Hauptnote mit der benachbarten oberen Nebennote im schnellen, mehrfachen Wechsel gespielt. In den Klavierkonzerten von Wolfgang Amadeus Mozart wird der Triller oft am Ende einer Solokadenz eingesetzt.

In dem Klavierstück «Ihr lieben Leute» spielt die linke Hand einen auskomponierten Triller g – fis.

Es gibt auch kurze Triller, bei denen die Hauptnote mit nur *einer* Nebennote verziert wird. Ein kurzer Triller mit einmaligem Wechsel nach oben wird *Pralltriller* genannt (siehe «Spaziergang», S. 10). Ein kurzer Triller mit einmaligem Wechsel nach unten heißt *Mordent* (siehe «Radetzky-Marsch», S. 11).

## Übung

Spiele diese Übung auch mit anderen Fingerkombinationen. Achte beim Spielen auf einen gleichmäßigen Anschlag der Finger.

vivo = lebendig

# Ihr lieben Leute

A. T.

kom - men sein. Wir spie - len hier auf dem Kla - vier die
schöns - ten Me - lo - dein von Mo - zart, Bach und
Jo - hann Strauß mit Bra - vour und viel Ap - plaus. Wir
spieln al - lein und auch zu zwein, lie - be Leu - te, das wird fein!
Begleitung
Fine
Dal Segno al Fine

# Übung

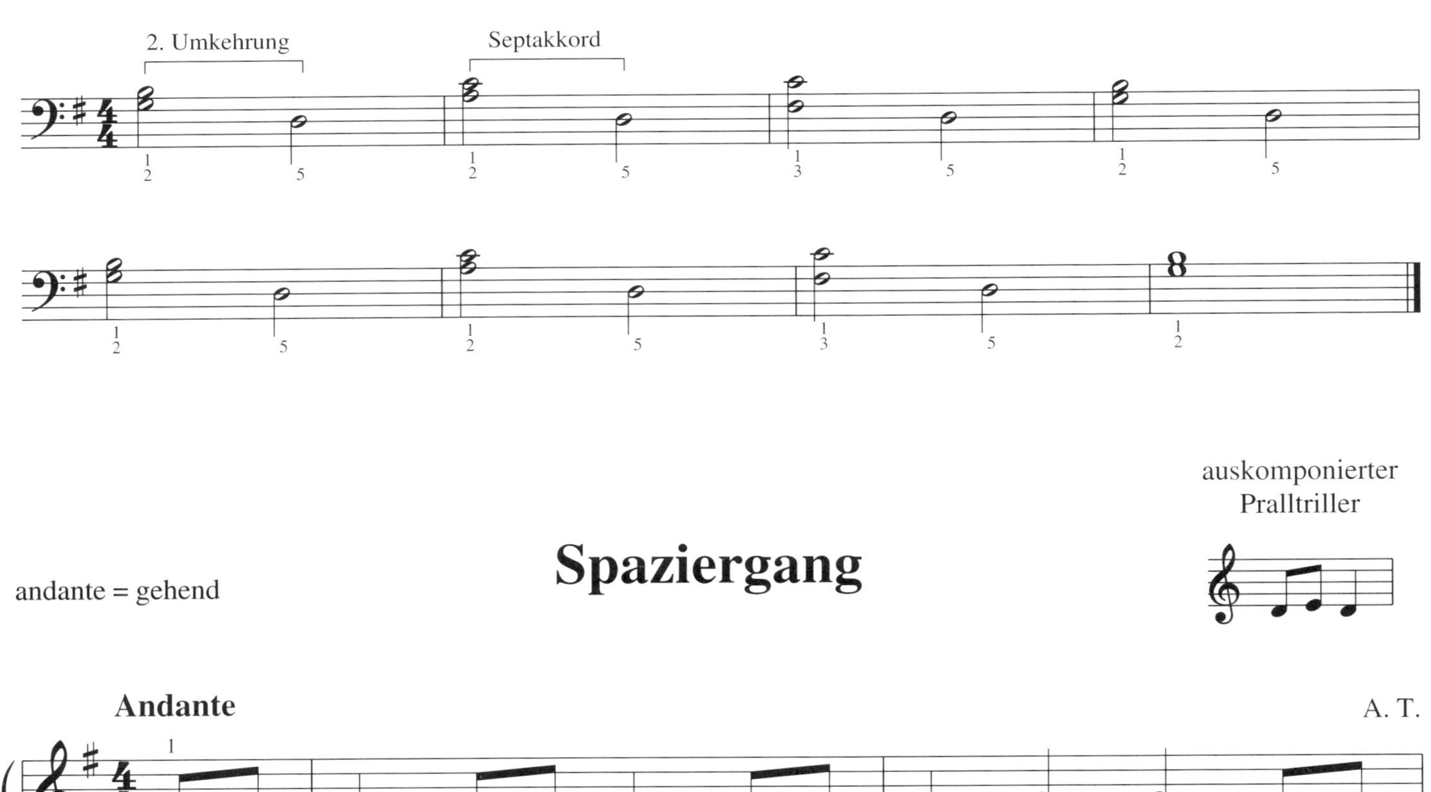

2. Umkehrung
Septakkord

auskomponierter
Pralltriller

# Spaziergang

andante = gehend

**Andante**

A. T.

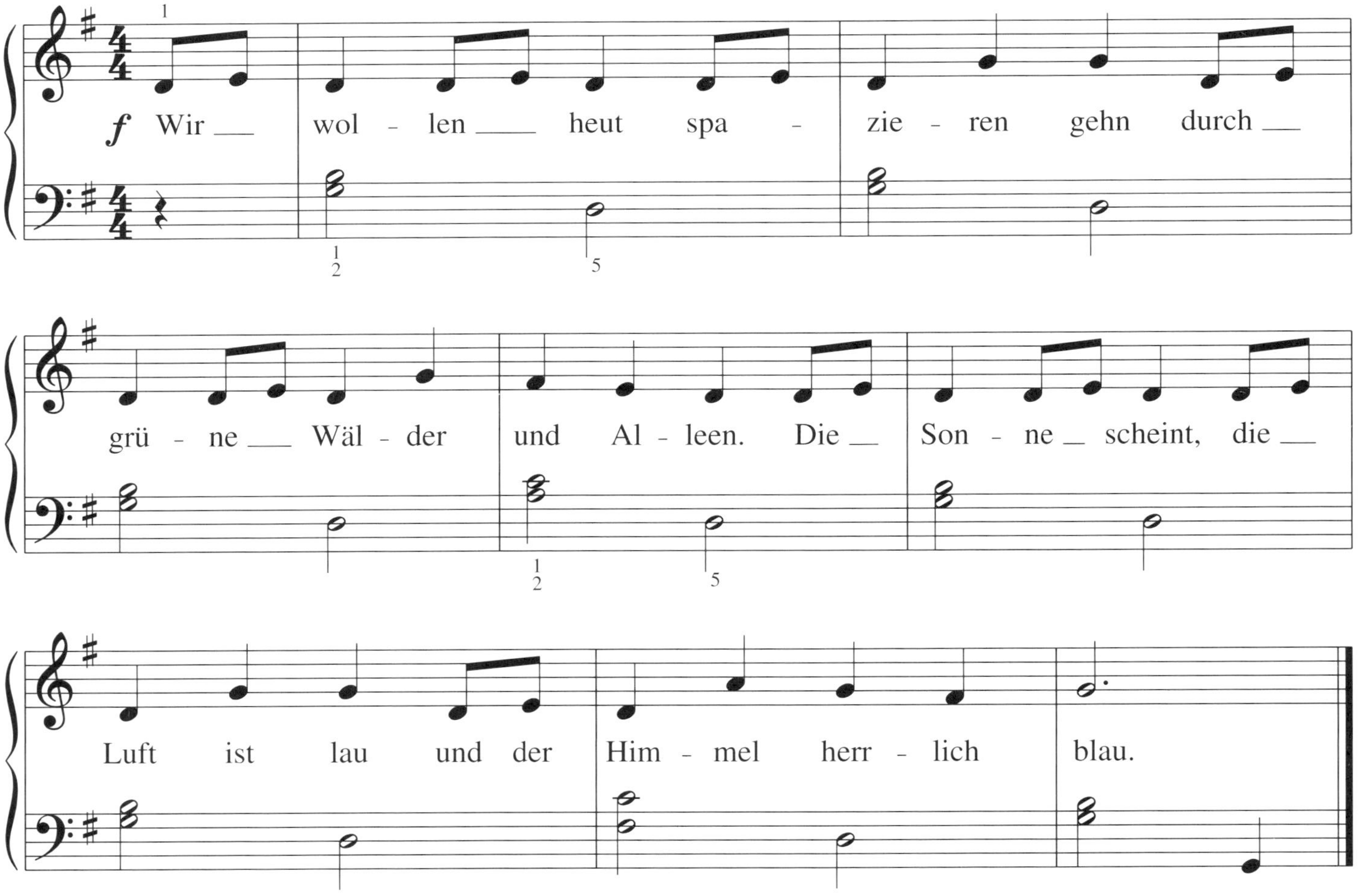
*f* Wir wol - len heut spa - zie - ren gehn durch
grü - ne Wäl - der und Al - leen. Die Son - ne scheint, die
Luft ist lau und der Him - mel herr - lich blau.

tempo di marcia =
Marschtempo

# Radetzky-Marsch

op. 228

auskomponierter
Mordent

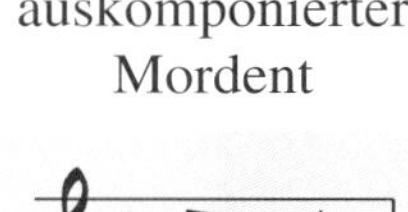

J. Strauß (1804–1849)*
Bearb.: A. T.

**Tempo di marcia**

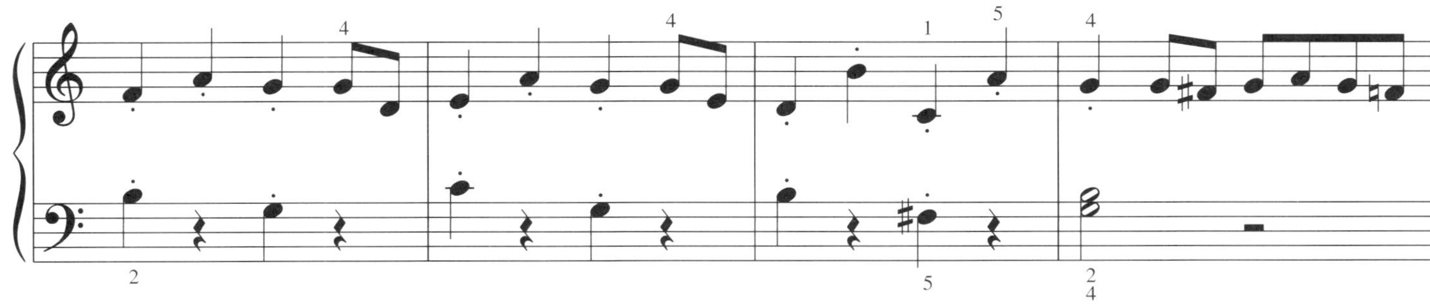


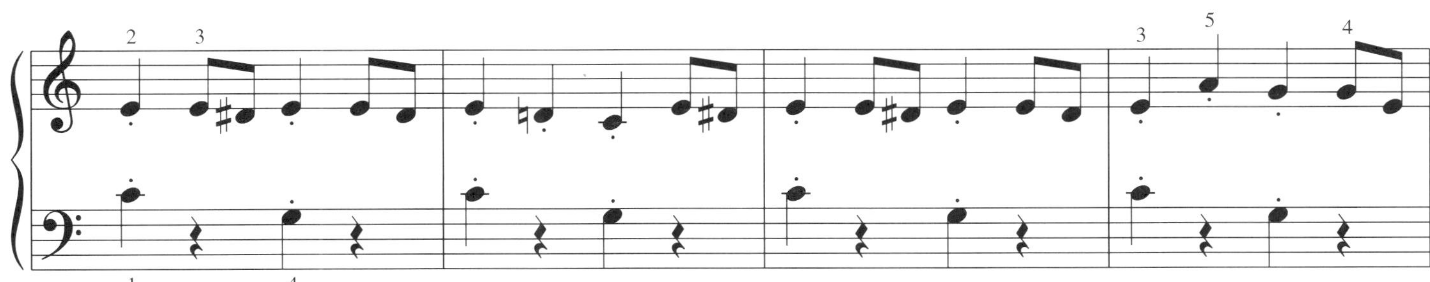

* Johann Strauß (Vater) war ein österreichischer Komponist und Kapellmeister. Er komponierte mehr als 150 Walzer und Märsche. Zu seinen bekanntesten Werken zählt der «Radetzky-Marsch».

# Übung

vivace = lebhaft

# Im Walde verirrt

**Vivace**

A. T.

*f (p)*

1.

2.

*pp*

**Begleitung**

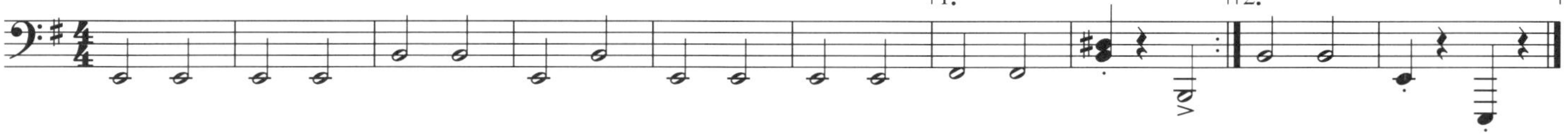

1.

2.

# Weite Lage

## Übung

weit

*linke Hand ad lib. zwei Oktaven tiefer dazu*

Diese Übung erfordert ein weites Öffnen der Hand, um den großen Oktavgriff vorzubereiten. Die Übung kann auch auf anderen Tonstufen gespielt werden.

## Wir sind wieder da

# Kleines Lied

# Springtanz

# Übung

2. Umkehrung
weit
Septakkord

# Gondellied

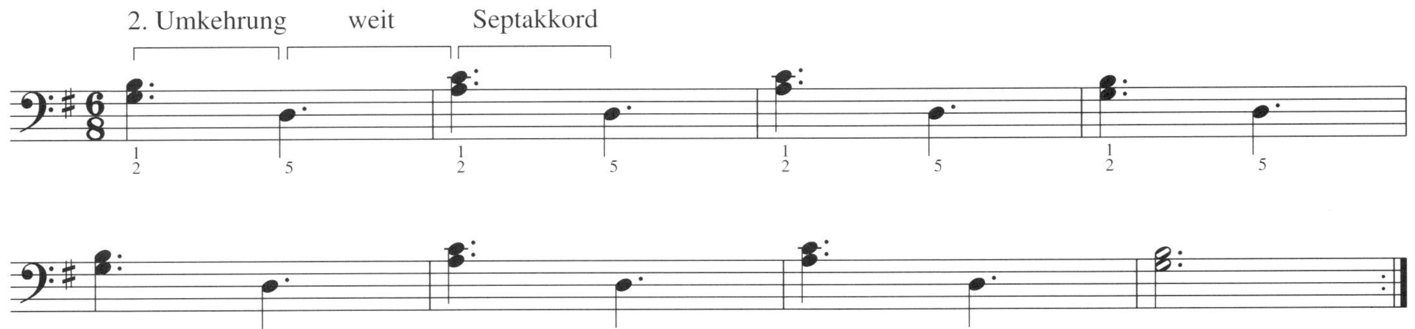

con moto = mit Bewegung

**Con moto**

A. T.

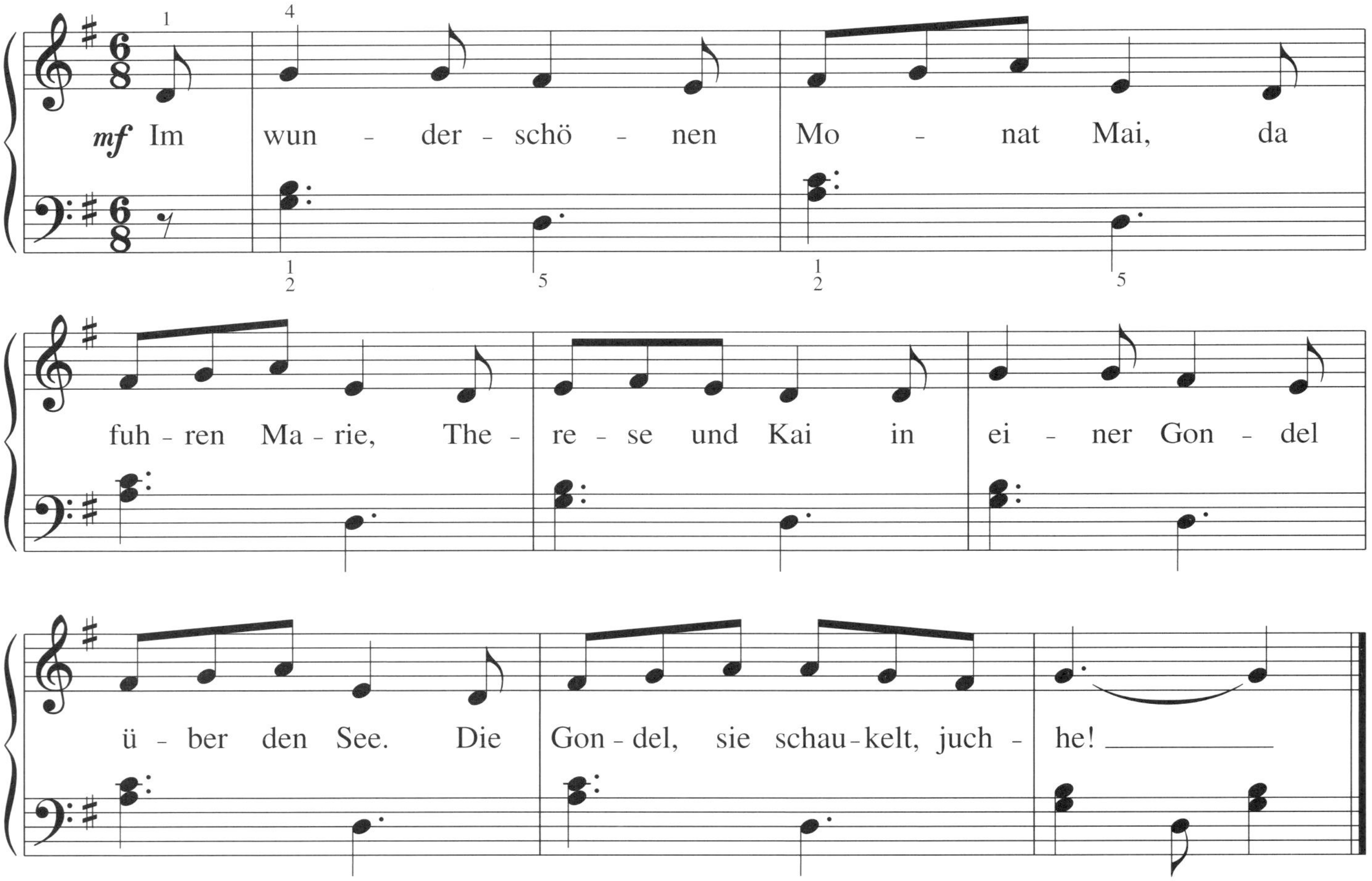

mf
Im wun - der - schö - nen Mo - nat Mai, da
fuh - ren Ma - rie, The - re - se und Kai in ei - ner Gon - del
ü - ber den See. Die Gon - del, sie schau - kelt, juch - he!

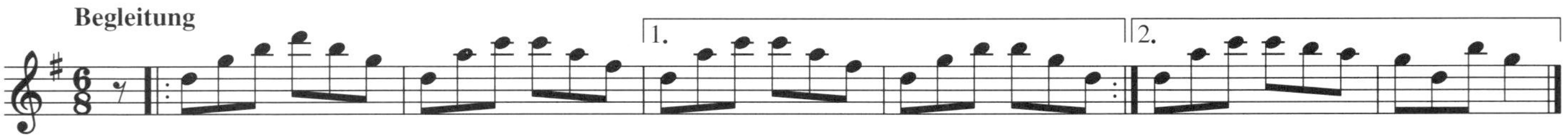

Begleitung

## Übung

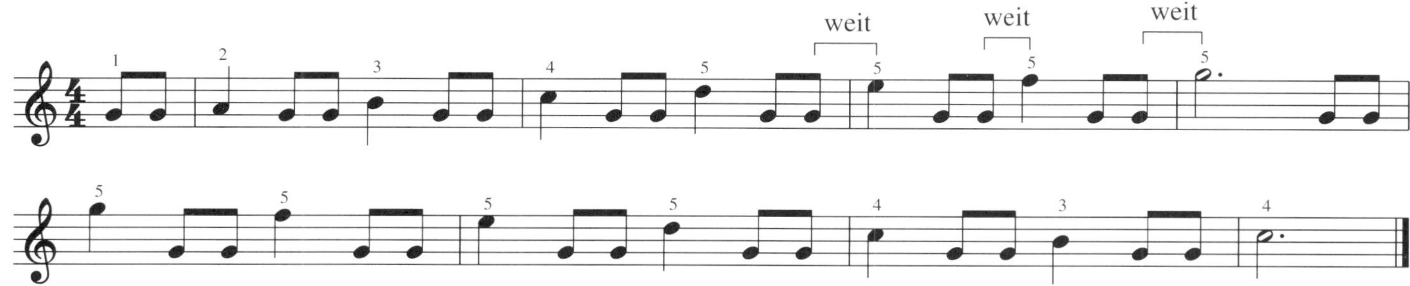


Spiele diese Übung auch in Gegenbewegung mit der linken Hand allein. Beginne auf c'.

# Zum Geburtstag viel Glück

Musik: Frank Daniel (nach Mildred J. Hill)
Text: Egon L. Frauenberger

**Fröhlich**

*f* Zum Ge - burts - tag viel Glück, zum Ge - burts - tag viel
Glück, zum Ge - burts - tag, lie - ber Kai, ___ zum Ge -
burts - tag viel Glück!

# Daumenuntersatz

## Übung

Achte beim Spielen dieser Übung auf die *Vorbereitungsbewegung* beim Daumenuntersatz und beim Übersetzen der Finger. Spiele die Übung und das folgende Klavierstück auch mit punktiertem Rhythmus.

con grazia = mit Anmut

## Humoreske

Eine *Humoreske* ist ein Musikstück mit heiterem Charakter.

* Antonin Dvořák war ein böhmischer Komponist der Romantik. Er schrieb zahlreiche Klavierstücke, Vokalwerke, Kammermusik und 9 Sinfonien.

slowly = langsam

# Kleiner Foxtrott

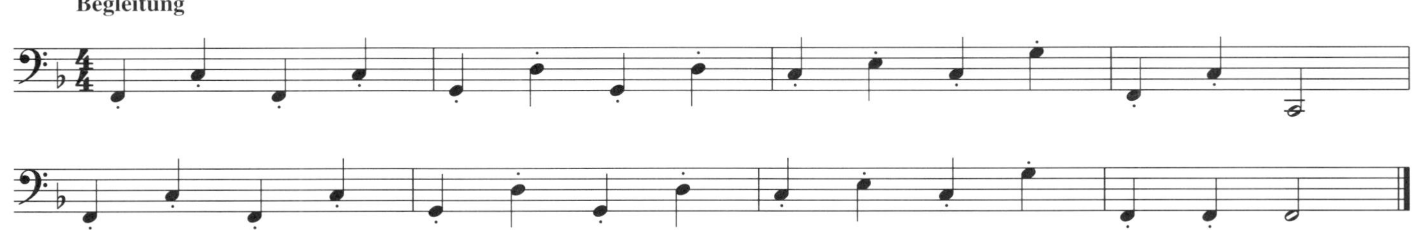


Der *Foxtrott* ist ein Tanz aus Amerika.

# Die Sequenz

Eine *Sequenz* ist die Wiederholung eines musikalischen Motivs auf einer anderen Tonstufe. In dem Klavierstück «Kai übt Kontrabass» werden die Sequenzen in Sekundschritten abwärts geführt. Die linke Hand kann auch eine Oktave tiefer gespielt werden.

## Kai übt Kontrabass

con fuoco = mit Feuer

# Tanz aus Ungarn

Suche in dem Klavierstück *Tanz aus Ungarn* auftretende Sequenzen.

# Weite und enge Lage

## Übung

Durch diese Übung lernt die rechte Hand, verschiedene Intervalle in enger und weiter Lage zu spielen. Achte beim Spielen auf die *Vorbereitungsbewegung* der oberen vier Spielfinger. Merkspruch: „Erst vorgreifen, dann spielen!“

Spiele diese Übung auch in Gegenbewegung mit der linken Hand allein. Beginne mit dem 2. Finger auf h.

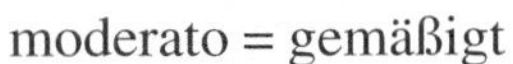


## Freundschaft

# Der Schlittschuhläufer

Thema aus op. 183

E. Waldteufel (1837–1915)*

* Emil Waldteufel war ein französischer Komponist. Er schrieb über 250 Tänze für Orchester.

# Der Winter ist vergangen

## Übung

mesto = traurig

# Marie ist traurig

**Mesto**

A. T.

*p*

*rit.*

*pp*

scherzando = scherzend

# Scherzlied

con animo = mit Mut

# Mit gutem Mut

Finde für das Klavierstück «Mit gutem Mut» deine eigenen Fingersätze und übertrage sie in die Noten.

# Terzentonleiter

## Übung

Achte beim Unter- und Übersetzen auf die Vorbereitungsbewegung der Finger.

# Zwei Wünsche

**Moderato**

A. T.

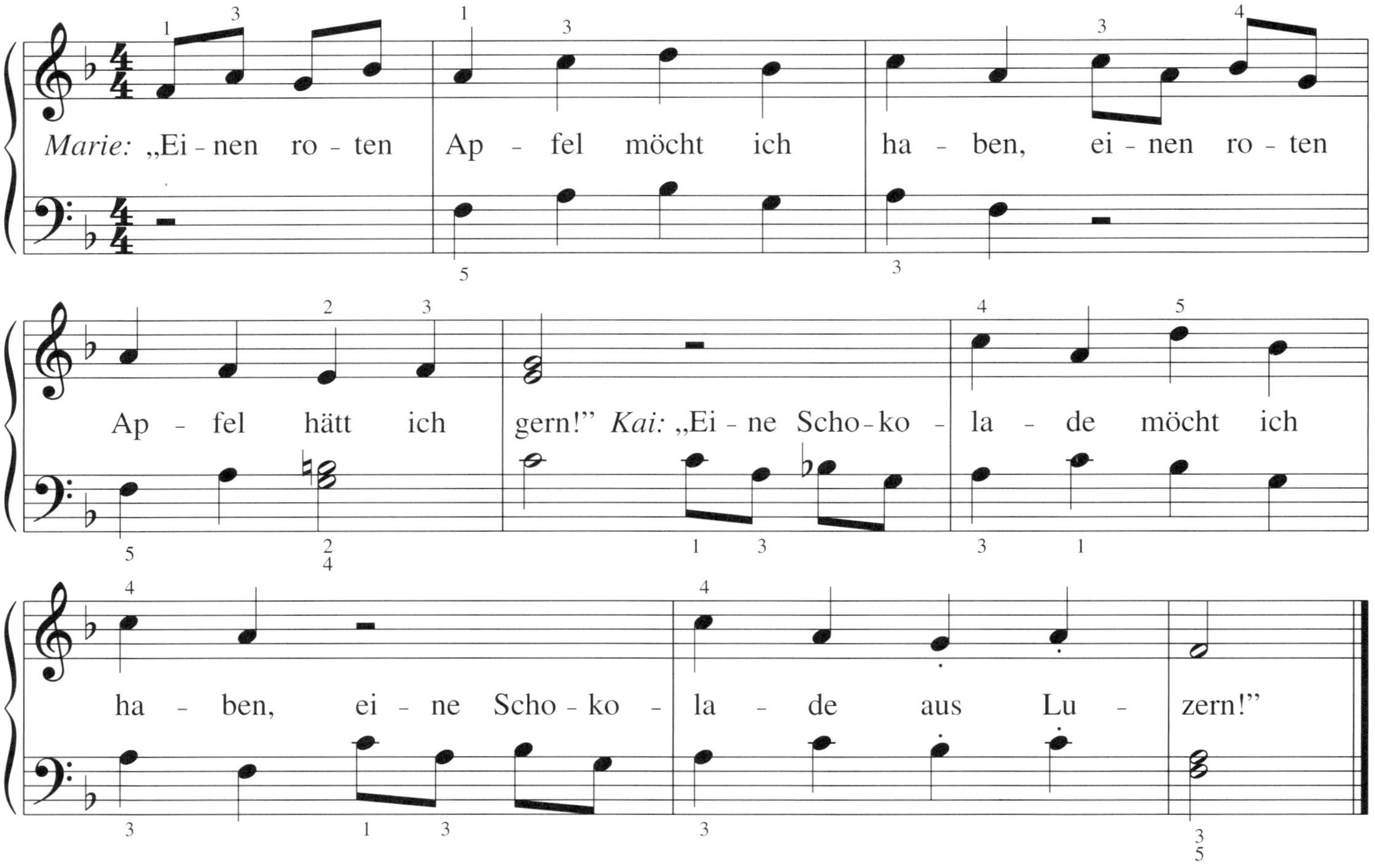

*Marie:* „Ei - nen ro - ten Ap - fel möcht ich ha - ben, ei - nen ro - ten Ap - fel hätt ich gern!" *Kai:* „Ei - ne Scho - ko - la - de möcht ich ha - ben, ei - ne Scho - ko - la - de aus Lu - zern!"

**Begleitung**

# Übung

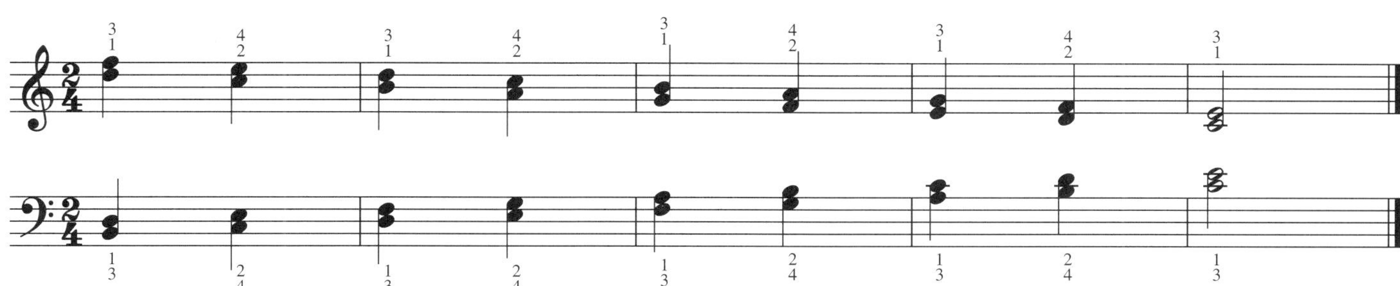

Bei dieser Übung ist beim Übergang vom 3. zum 4. Spielfinger (Oberstimme rechte Hand, Unterstimme linke Hand) eine kurze Unterbrechung des Legatospiels erforderlich. Spiele die Übung auch mit beiden Händen zusammen.

# Gute Nacht

tranquillo = ruhig

**Tranquillo**

A. T.

*p* Aus den Him - mels - hö - hen kommt ein En - gel sacht,
wünscht uns Men - schen - kin - dern
ei - ne gu - te Nacht.

# Artikulation

Der *Tenutostrich* gehört wie der *Staccatopunkt* und der *Bindebogen* zu den Artikulationszeichen in der Musik. Durch verschiedene Artikulationsarten werden Töne miteinander verbunden oder voneinander getrennt.

tenuto = gehalten

## Russischer Tanz

con brio = mit Schwung

# Drei gute Freunde

Achte beim Spielen des Klavierstücks «Drei gute Freunde» auf die korrekte Ausführung der drei unterschiedlichen Artikulationsarten (legato, tenuto und staccato).

## Übung

## Polonaise

aus dem *Notenbuch für Wolfgang*

L. Mozart (1719–1787)

Bearb.: A. T.

**Moderato**

Die *Polonaise* ist ein polnischer Tanz.
Achte beim Spielen auf die korrekte Ausführung der Artikulation.

# Übung

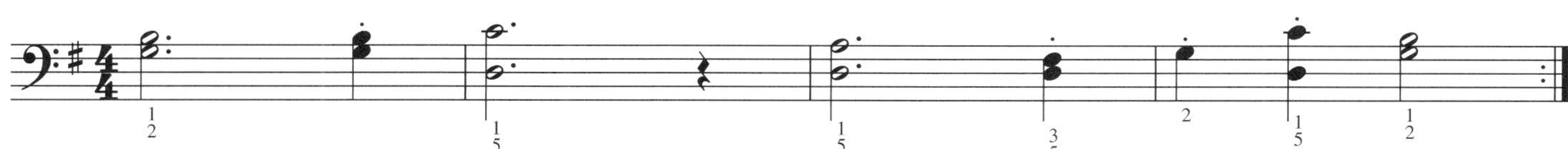

# Bourrée

aus der *Cellosuite Nr. 3*

J. S. Bach (1685–1750)*
Bearb.: A. T.

**Andante**

*f* (*p*)

Die *Bourrée* ist ein altfranzösischer Volkstanz.

* Johann Sebastian Bach war ein deutscher Komponist und Musiker der Barockzeit. Er schrieb zahlreiche Werke für Orgel, Klavier, Orchester und Chor.

# Übung

eng
weit
eng
weit

# Scarborough Fair

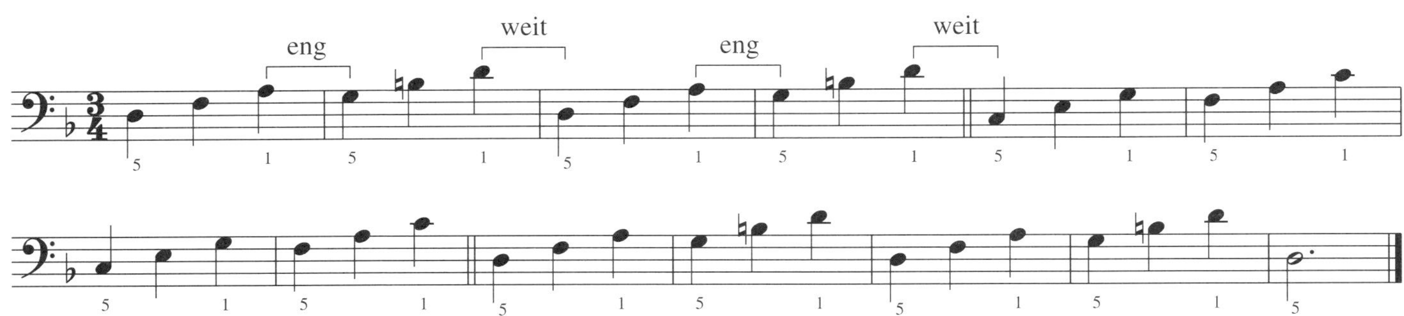

cantabile = singend

aus England
Satz: A. T.

**Cantabile**

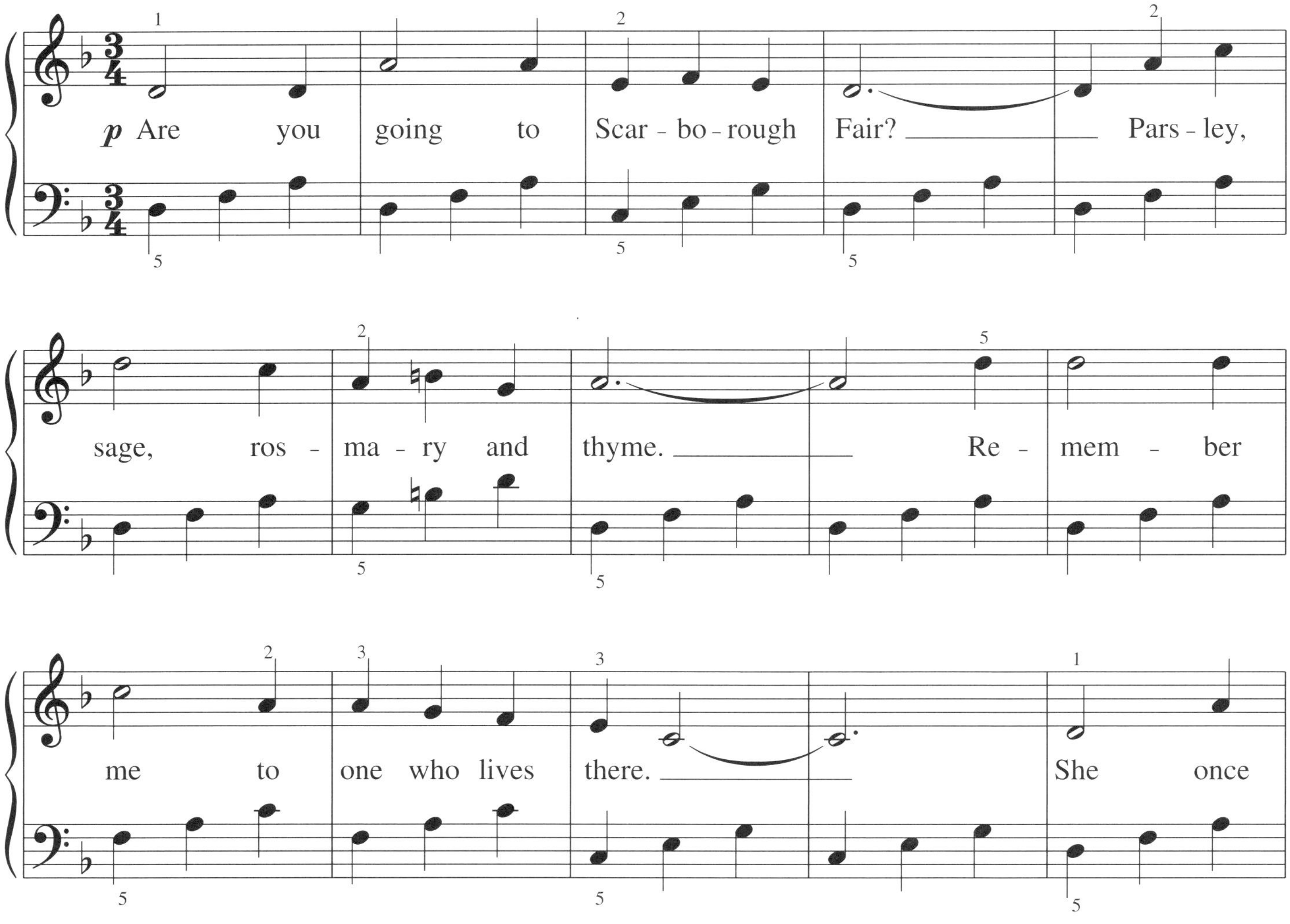

p Are you going to Scar - bo - rough Fair? Pars - ley,
sage, ros - ma - ry and thyme. Re - mem - ber
me to one who lives there. She once

was a true love of mine.
pp

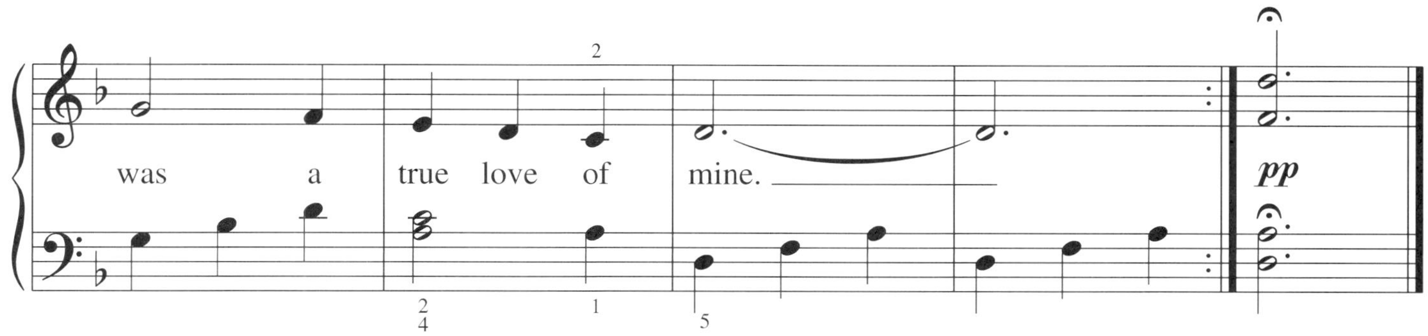

# Feenlied

von den Hebriden
Satz: A. T.

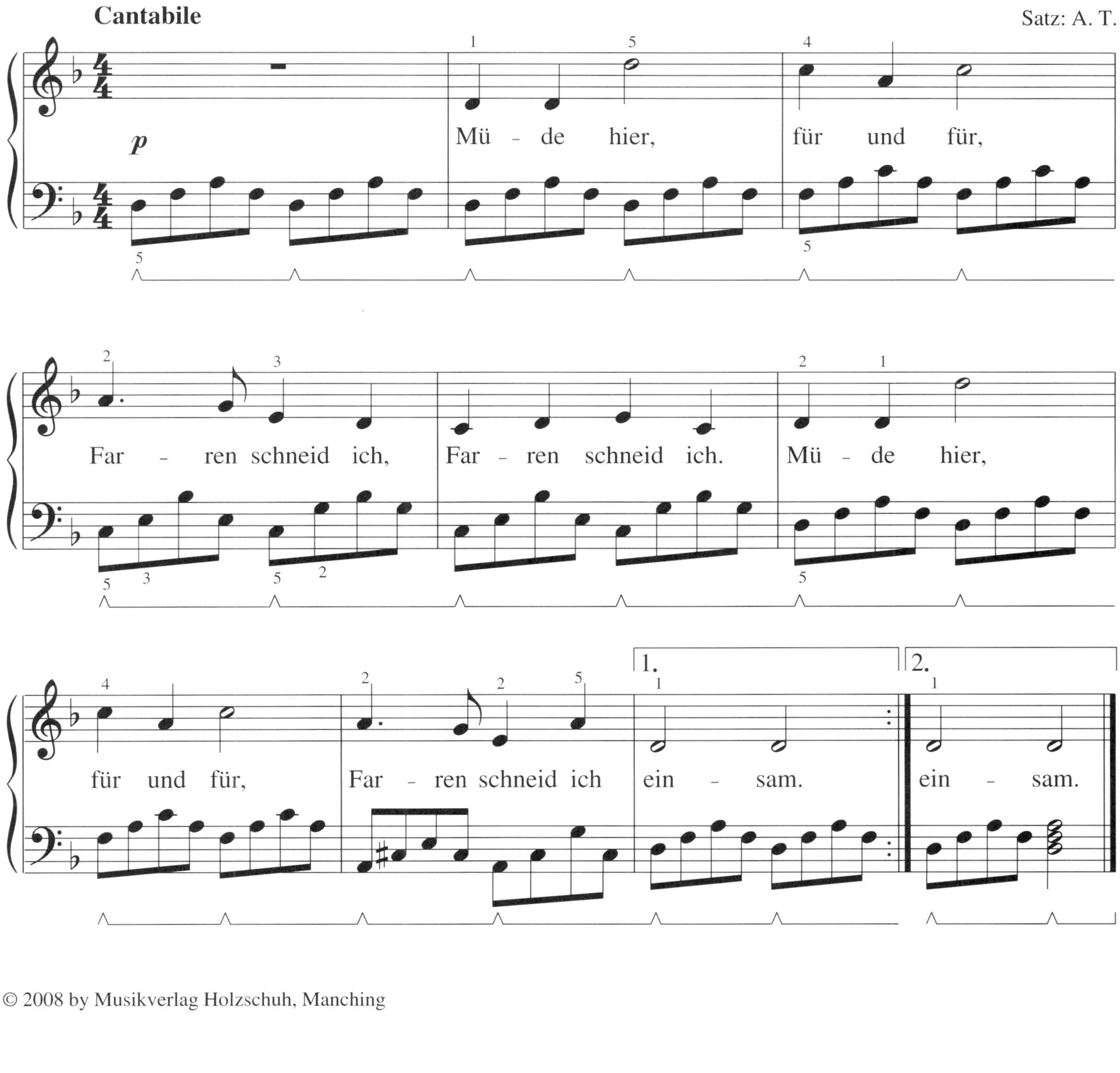

Cantabile
p
Mü - de hier, für und für,
Far - ren schneid ich, Far - ren schneid ich. Mü - de hier,
für und für, Far - ren schneid ich ein - sam. ein - sam.
1.
2.

# Latente Zweistimmigkeit

## Übung

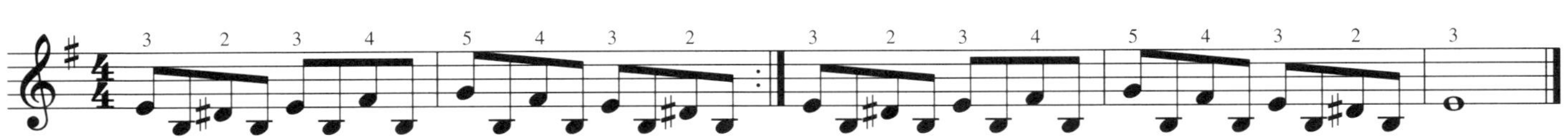

Diese einstimmige Übung enthält im *Verborgenen* eine zweite Stimme (*latente* Zweistimmigkeit). Achte beim Spielen auf das deutliche Hervorheben der oberen Töne und den leichten Anschlag des Daumens.

## Schöne Minka

Thema mit einer Variation

Text: C. A. Tiedge (1752–1841)
russisches Volkslied

**Moderato**

*p* Schö - ne Min - ka, ich muss schei - den! Ach, du füh - lest nicht das Lei - den

fern auf freu - de - lo - sen Hei - den, fern von dir zu sein!

*f* Fins - ter wird der Tag mir schei - nen, ein - sam werd ich gehn und wei - nen,

p auf den Ber - gen,
in den Hai - nen,
ruf ich, Min - ka,
dir!
Variation
p
f
p

Spiele das musikalische Motiv des «Kleinen Regenwurms» in aufsteigenden Sequenzen und schreibe diese anschließend auf.

# Der kleine Regenwurm

rechte Hand

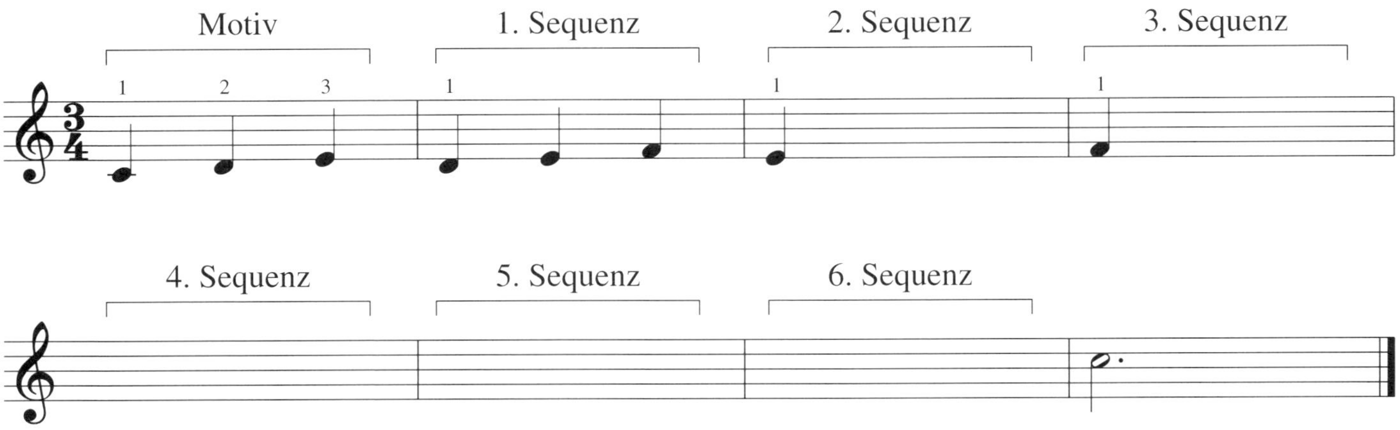

Motiv | 1. Sequenz | 2. Sequenz | 3. Sequenz

4. Sequenz | 5. Sequenz | 6. Sequenz

linke Hand

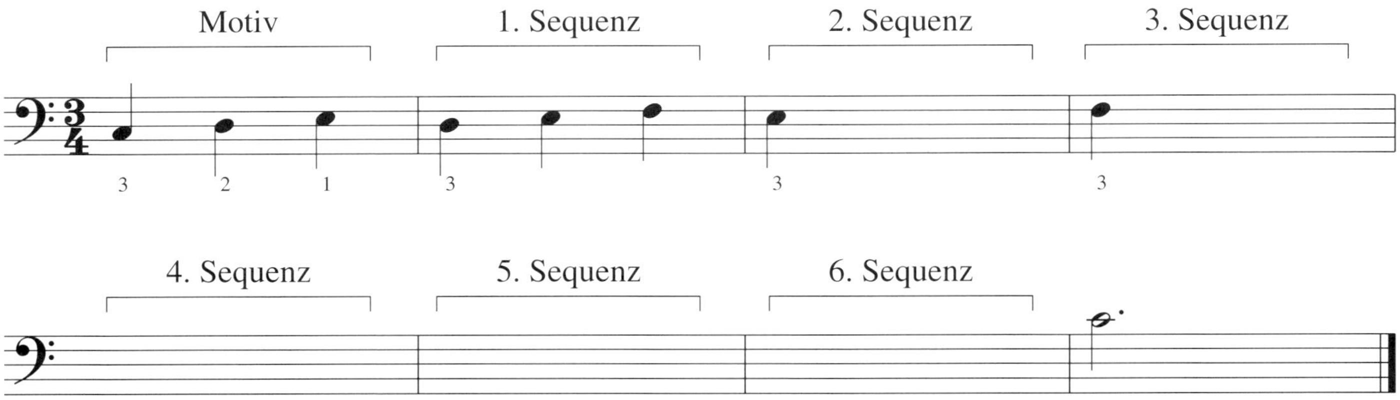

Motiv | 1. Sequenz | 2. Sequenz | 3. Sequenz

4. Sequenz | 5. Sequenz | 6. Sequenz

Erfinde ein eigenes musikalisches Motiv und schreibe seine Sequenzen auf.

# Musikalisches Rätsel Nr. 1

*Suche die zusammengehörigen Begriffe und trage sie in die linke Spalte ein.*

| | |
|---|---|
| 1. Triller ............................... | a) singend |
| 2. Bourrée ............................... | b) Tanz aus Amerika |
| 3. tenuto ............................... | c) mit Bewegung |
| 4. Sequenz............................... | d) altfranzösischer Volkstanz |
| 5. tranquillo............................... | e) gehend |
| 6. Humoreske ............................... | f) böhmischer Komponist |
| 7. Johann Strauß ............................... | g) mit Feuer |
| 8. cantabile ............................... | h) gemäßigt |
| 9. vivace ............................... | i) gehalten |
| 10. con grazia ............................... | j) polnischer Tanz |
| 11. Polonaise............................... | k) Wiederholung eines musikalischen Motivs |
| 12. con brio............................... | l) österreichischer Komponist |
| 13. moderato............................... | m) mit Anmut |
| 14. Foxtrott ............................... | n) mit Schwung |
| 15. con moto ............................... | o) heiteres Musikstück |
| 16. Antonin Dvořák ............................... | p) ruhig |
| 17. andante ............................... | q) Verzierung einer Note |
| 18. Johann Sebastian Bach ............................... | r) lebhaft |
| 19. con fuoco ............................... | s) deutscher Komponist und Musiker |
| 20. con forza............................... | t) mit Kraft |

# Kleine Harmonielehre I (Dur)

Die *Harmonielehre* beschäftigt sich mit den Zusammenhängen von verschiedenen Tönen und Akkorden. Sie ist ein Teil der Kompositionslehre.

Die Dur-Tonleiter besteht vom Grundton aufwärts aus 8 Tönen. Diese 8 Töne werden auch 8 Stufen genannt. Über jeder Stufe können wir einen Dreiklang bilden, indem wir zwei Terzen darüber schichten. Dabei entstehen drei verschiedene Arten von Dreiklängen:

1.) Dur-Dreiklang  2.) Moll-Dreiklang  3.) verminderter Dreiklang

Beispiel: C-Dur

1. Stufe  2. Stufe  3. Stufe  4. Stufe  5. Stufe  6. Stufe  7. Stufe  8. Stufe

Die Stufen werden auch mit römischen Zahlen beziffert:

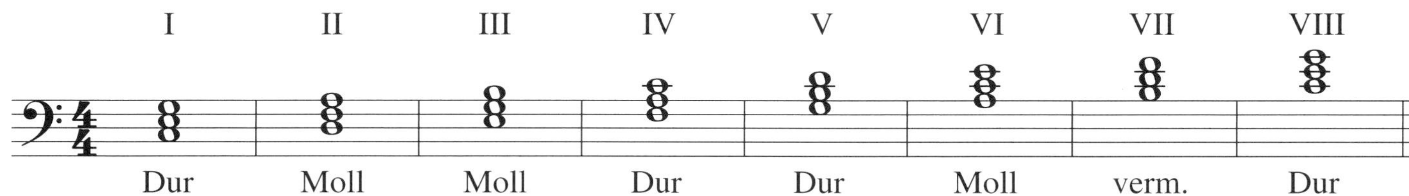


Wir finden auf der 1., 4. und 5. Stufe einen Dur-Dreiklang, auf der 2., 3. und 6. Stufe einen Moll-Dreiklang und einen verminderten Dreiklang auf der 7. Stufe. Dieses Beispiel lässt sich auf sämtliche Dur-Tonarten übertragen.

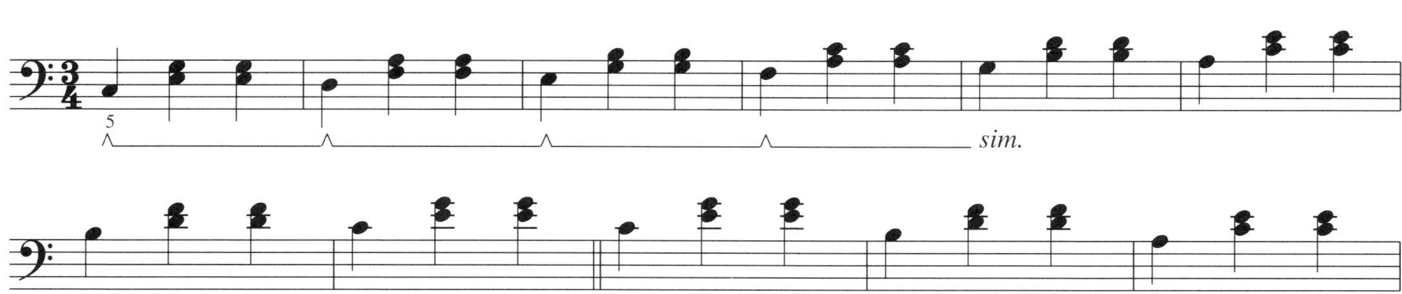

espressivo = ausdrucksvoll

# Stufenwalzer

**Espressivo**

A. T.

*p*

*rit.*

Benenne für jeden Takt des Klavierstückes «Stufenwalzer» die einzelnen Stufen.

# Kleine Harmonielehre II (Moll)

Die natürliche Moll-Tonleiter besteht vom Grundton aufwärts aus 8 Tönen. Diese 8 Töne werden auch 8 Stufen genannt. Über jeder Stufe können wir einen Dreiklang bilden, indem wir zwei Terzen darüber schichten. Wie bei der Dur-Tonleiter entstehen dabei drei verschiedene Arten von Dreiklängen:

1.) Moll-Dreiklang 2.) Dur-Dreiklang 3.) verminderter Dreiklang

Beispiel: a-Moll

1. Stufe 2. Stufe 3. Stufe 4. Stufe 5. Stufe 6. Stufe 7. Stufe 8. Stufe

Die Stufen werden auch mit römischen Zahlen beziffert:

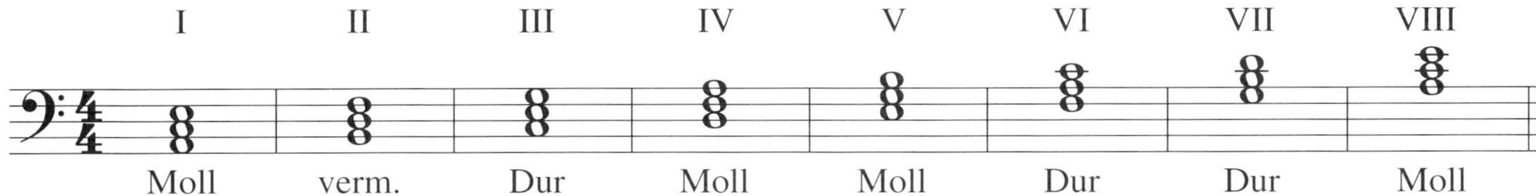


Wir finden auf der 1., 4. und 5. Stufe einen Moll-Dreiklang, auf der 3., 6. und 7. Stufe einen Dur-Dreiklang und einen verminderten Dreiklang auf der 2. Stufe. Dieses Beispiel lässt sich auf sämtliche natürliche Moll-Tonarten übertragen.

## Übung

# Ein altes Lied

Benenne für jeden Takt des Klavierstückes «Ein altes Lied» die einzelnen Stufen.

# Die Polyphonie

Das Wort *Polyphonie* kommt aus der griechischen Sprache und kann in der deutschen Sprache mit dem Wort *Mehrstimmigkeit* übersetzt werden. In polyphonen Kompositionen hat jede Stimme ein gewisses Maß an Selbstständigkeit.

Kanons, Fugen und die Inventionen von Johann Sebastian Bach sind Beispiele für Kompositionen mit polyphonem Satzgefüge.

## Menuett

aus dem *Notenbüchlein für Anna Magdalena Bach*

Das *Menuett* ist ein französischer Tanz im 3/4-Takt.

# Die Homophonie

Das Wort *Homophonie* kommt aus der griechischen Sprache und kann in der deutschen Sprache mit dem Wort *Gleichstimmigkeit* übersetzt werden.

Auch in homophonen Kompositionen gibt es mehrere Stimmen. Jedoch hat nur eine einzige Stimme die Vorherrschaft. Alle anderen Stimmen begleiten akkordisch. Choräle sind ein Beispiel für Kompositionen mit homophonem Satzgefüge.

## Menuett

aus dem *Notenbüchlein für Anna Magdalena Bach*

Melodie: J. S. Bach (1685–1750)
Bearb.: A. T.

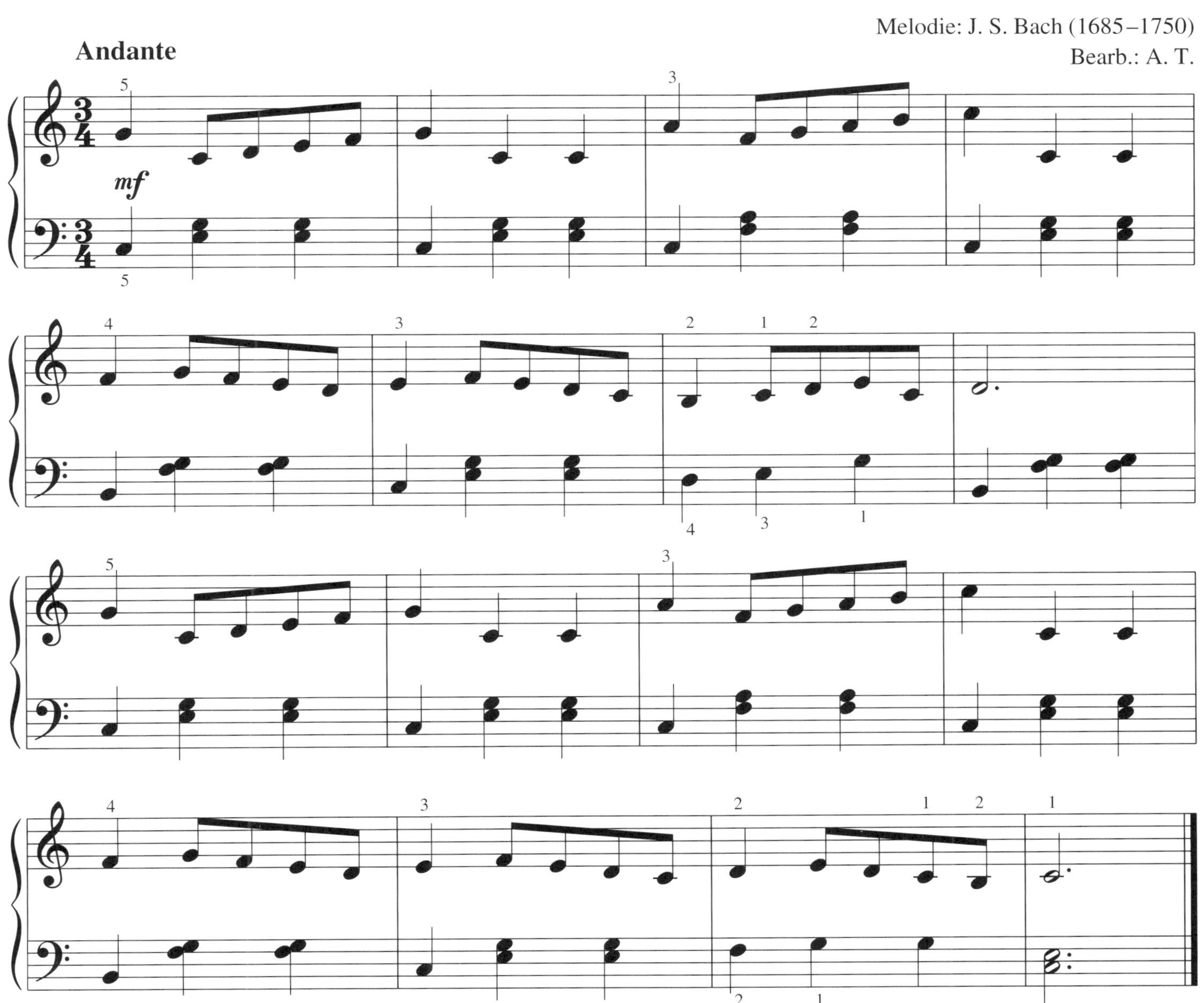

# Kleine Invention

(polyphon)

**Andante** A. T.

# Bruder Jakob

Kanon

(polyphon)

**Moderato**

aus Frankreich

# Freier Kanon

aus dem *Mikrokosmos* Band 1

teneramente = zart

(polyphon)

* Béla Bartók war ein moderner ungarischer Komponist und Volksliedforscher.

# Melodie mit Begleitung

aus dem *Mikrokosmos* Band 2

adagio = langsam

(homophon)

B. Bartók (1881–1945)

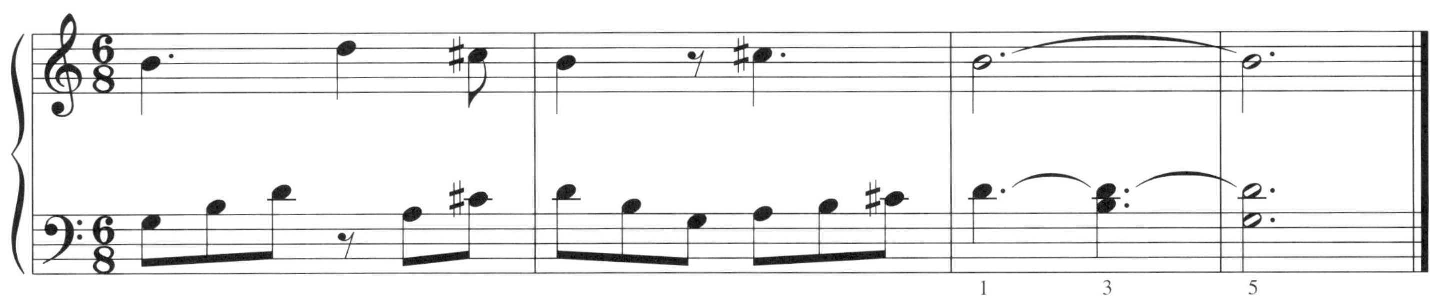

# In der Kirche

aus dem *Jugendalbum* op. 39

* Peter Iljitsch Tschaikowski war ein russischer Komponist der Romantik. Sein erstes Klavierkonzert machte ihn weltberühmt.

# Osterchoral

(homophon)

lento = langsam

# Kai und Therese spielen vierhändig

*Secondo*

comodo = gemütlich

(homophon)

# Kai und Therese spielen vierhändig

*Primo*

Beim vierhändigen Musizieren kann gelernt werden, mit beiden Händen im gleichen Schlüssel zu spielen (Primopart = Violinschlüssel, Secondopart = Bassschlüssel).

# Der Septakkord und seine Umkehrungen

Der Septakkord gehört zu den *Vierklängen*. Er besteht in seiner Grundstellung aus einem Dreiklang und einer weiteren Terz. Diese Terz ist dem Quintton des Dreiklangs hinzugefügt. Der Abstand vom zusätzlichen Ton zum Grundton ist eine Septime. Diese gibt dem Akkord seinen Namen.

Der Septakkord erscheint häufig auf der 5. Stufe (Dominante) und wird in diesem Zusammenhang auch *Dominantseptakkord* genannt.

Auch die Töne des Septakkordes können umgekehrt oder umgesetzt werden. Die 1. Umkehrung wird auch *Quintsextakkord* genannt, die 2. Umkehrung *Terzquartakkord* und die 3. Umkehrung *Sekundakkord*.

Achte beim Spielen der Übung auf eine seitliche Bewegung des Handgelenks.

amoroso = liebevoll

# Das Kätzchen

# Übung

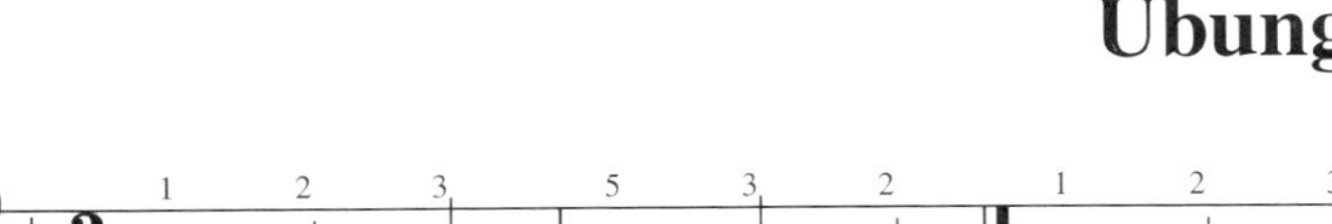

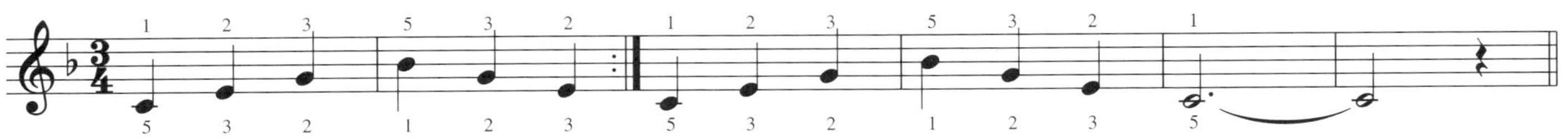

allegro = schnell

# Heimwärts

**Allegro**

A. T.

*mf* Kai und The - re - se

lau - fen am A - bend zu zweit

heim - - wärts im Re - gen.

Wie ist der Weg noch so weit!
Da kommt die Tan - te
in ei - nem Au - to, welch Glück,
und fährt die bei - den
si - cher nach Hau - se zu - rück.
f

Auch in dem Menuett von Johann Sebastian Bach werden „Vierklänge“ gespielt. Sie bestehen in der Grundstellung aus einem Dreiklang. Der Grundton erscheint als 4. Ton wieder in der oberen Oktave.

Beispiel:

# Menuett

aus dem *Notenbüchlein für Anna Magdalena Bach*

agitato = unruhig

# Unruhe

**Agitato**

A. T.

# Erweiterung des Oktavraums

## Übung a

## Übung b

## Übung c

## Übung d

# Kleines Feuerwerk

# Übung

rechte Hand

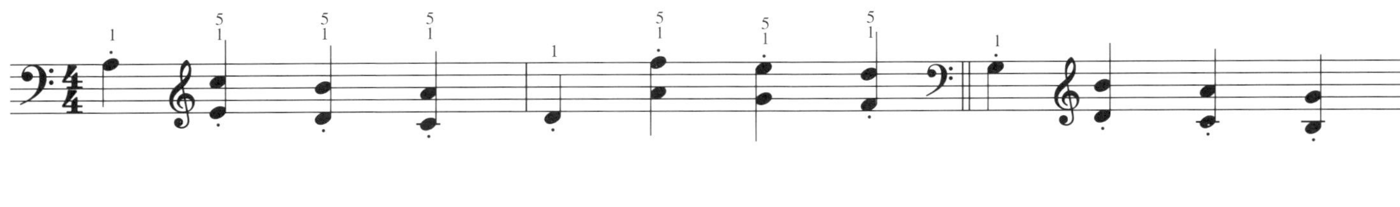

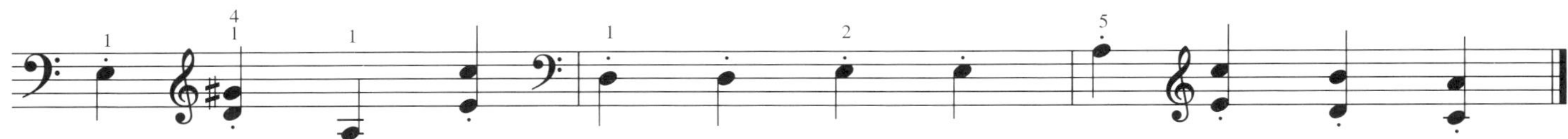


presto = sehr schnell

# Ungewitter

Begleitung (eine Oktave tiefer)

molto = sehr, viel

# Der verzauberte See

A. T.

# The Entertainer

S. Joplin (1868–1917)*
Bearb.: A. T.

* Scott Joplin war ein amerikanischer Jazzpianist und Komponist. Sein bekanntestes Werk ist das Klavierstück «The Entertainer».

# Aufgaben zur Harmonielehre

1. Schreibe eine Tonleiter in G-Dur (7. Stufe fis statt f) und trage die jeweiligen Stufen in die dazu gehörigen Kästchen ein.

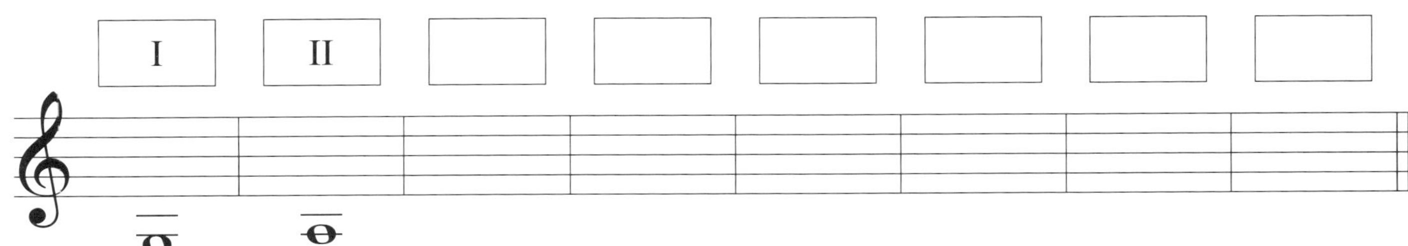


2. Bilde auf jeder Stufe der G-Dur-Tonleiter einen Dreiklang und schreibe in die dazu gehörigen Kästchen, ob es sich um einen Dur-, einen Moll- oder um einen verminderten Dreiklang handelt.

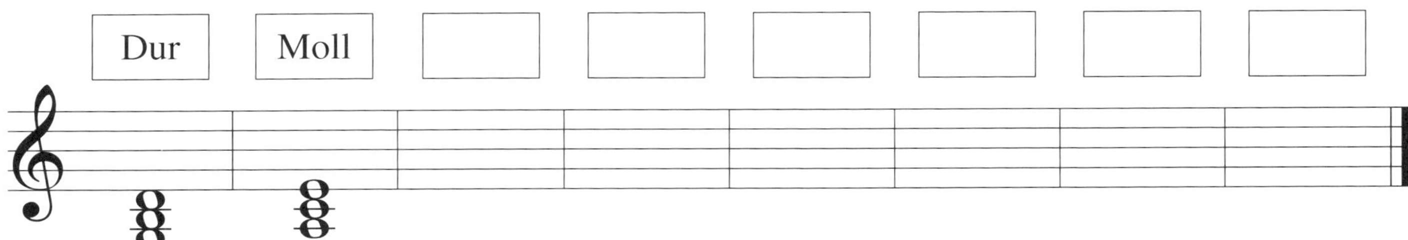


3. Schreibe *auf* dem Ton g einen Septakkord in seiner Grundstellung. Bilde von diesem Septakkord die drei Umkehrungen.

4. Schreibe den Dominantseptakkord (5. Stufe) *von* der Tonart G-Dur in seiner Grundstellung und seinen Umkehrungen.

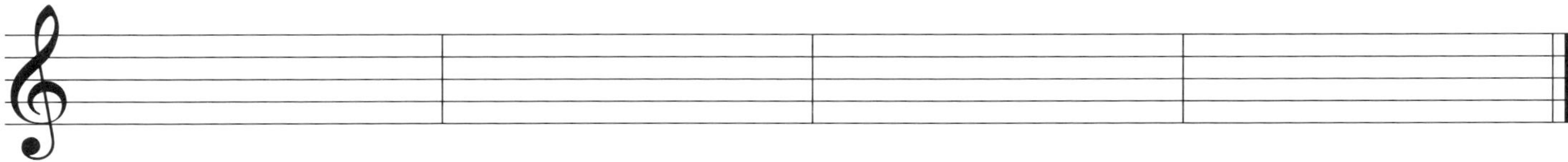

Die Auflösungen befinden sich auf Seite 68.

# Musikalisches Rätsel Nr. 2

*Suche die zusammengehörigen Begriffe und trage sie in die linke Spalte ein.*

| | |
|---|---|
| 1. largo ................................ | a) Teil der Kompositionslehre |
| 2. Polyphonie ........................... | b) Septakkord, 3. Umkehrung |
| 3. espressivo ........................... | c) schnell |
| 4. presto ............................... | d) 5. Stufe einer Tonleiter |
| 5. mesto ................................ | e) sehr schnell |
| 6. Harmonielehre ........................ | f) liebevoll |
| 7. Menuett .............................. | g) traurig |
| 8. Dominante ............................ | h) ungarischer Komponist |
| 9. agitato .............................. | i) gemütlich |
| 10. Scott Joplin ........................ | j) langsam |
| 11. Homophonie .......................... | k) russischer Komponist |
| 12. comodo .............................. | l) zart |
| 13. lento ............................... | m) Septakkord, Grundstellung |
| 14. amoroso ............................. | n) breit |
| 15. Peter I. Tschaikowski ............... | o) amerikanischer Jazzpianist und Komponist |
| 16.  ................ | p) Gleichstimmigkeit |
| 17. allegro ............................. | q) französischer Tanz |
| 18. 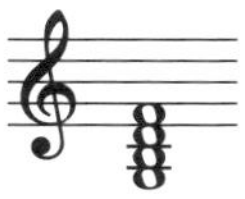 ................ | r) ausdrucksvoll |
| 19. Béla Bartók ......................... | s) Mehrstimmigkeit |
| 20. teneramente ......................... | t) unruhig |

# Lösungen zur Harmonielehre (S. 66)

1. Schreibe eine Tonleiter in G-Dur (7. Stufe fis statt f) und trage die jeweiligen Stufen in die dazu gehörigen Kästchen ein.

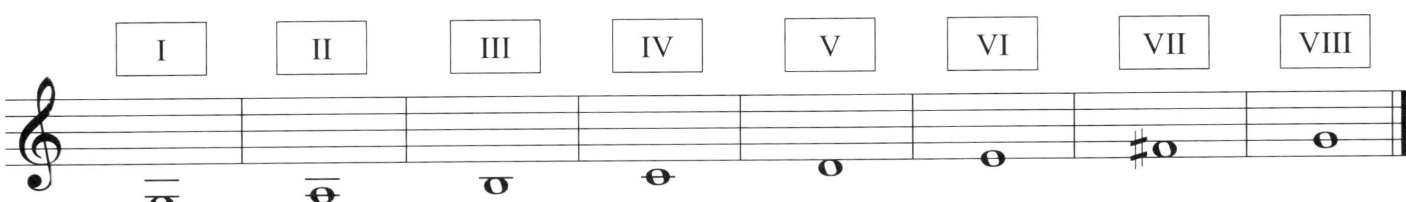


2. Bilde auf jeder Stufe der G-Dur-Tonleiter einen Dreiklang und schreibe in die dazu gehörigen Kästchen, ob es sich um einen Dur-, einen Moll- oder um einen verminderten Dreiklang handelt.

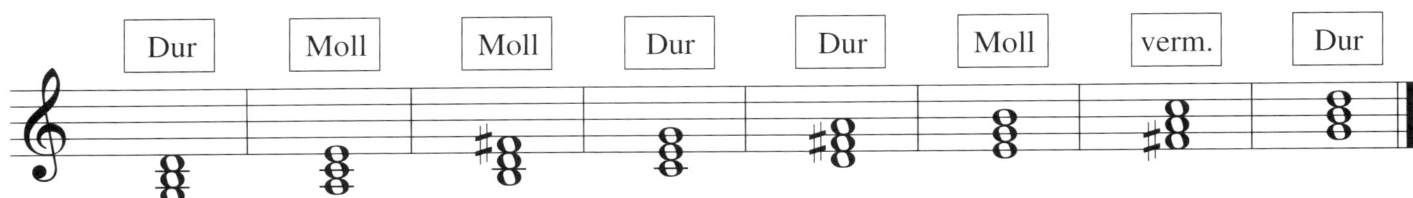


3. Schreibe *auf* dem Ton g einen Septakkord in seiner Grundstellung. Bilde von diesem Septakkord die drei Umkehrungen.

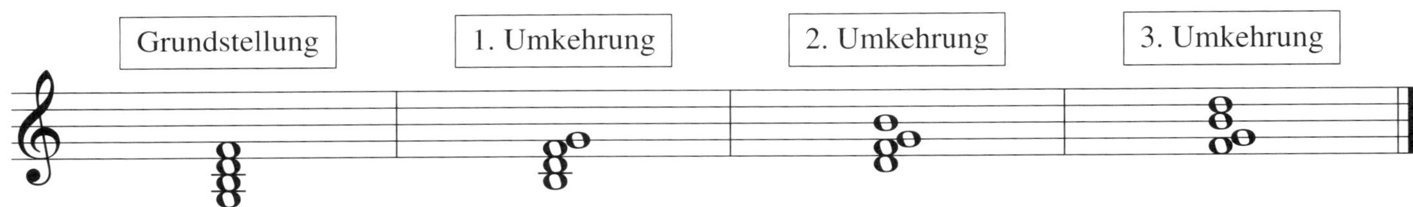


4. Schreibe den Dominantseptakkord (5. Stufe) *von* der Tonart G-Dur in seiner Grundstellung und seinen Umkehrungen.

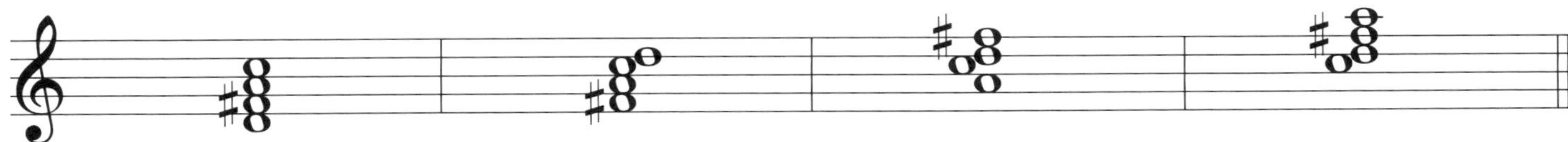